La colección LEER EN ESPAÑOL ha sido concebida
y diseñada por el Departamento de Idiomas
de la Editorial Santillana. S.A. .
El misterio de la llave es una obra original
de **Elena Moreno** para el Nivel 1 de esta colección.

Ilustración de la portada: Sinagoga de Santa María la Blanca.
Toledo. (Archivo fotográfico Santillana)

Ilustraciones interiores: **Juan Carlos Carmona**

Coordinación editorial: **Silvia Courtier**

© 1992 by Elena Moreno

© de esta edición.
1992 by Universidad de Salamanca
Grupo Santillana de Ediciones, S. A.
Torrelaguna, 60. 28043 Madrid
PRINTED IN SPAIN
Impreso en España por UNIGRAF
Avda. Cámara de la Industria,38
Móstoles, Madrid
ISBN: 84-294-4040-2
Depósito legal: M- 37372-1999

EL MISTERIO DE LA LLAVE

ELENA MORENO

Colección
LEER EN ESPAÑOL

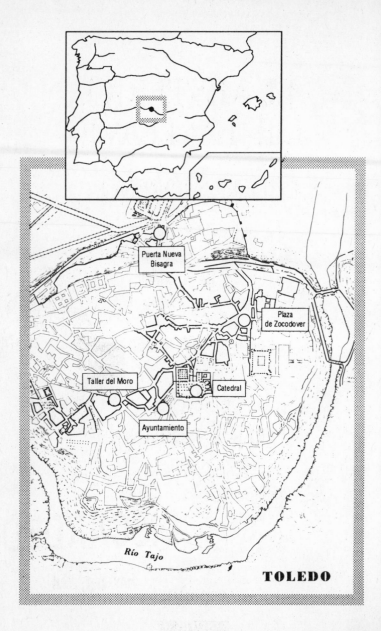

Puerta Nueva
Bisagra

Plaza
de Zocodover

Taller del Moro

Catedral

Ayuntamiento

Río Tajo

TOLEDO

I

LOS PERIÓDICOS HACEN PREGUNTAS

CÁNDIDO deja los periódicos sobre la cama. Se sienta en una silla y bebe rápido su café. Está demasiado caliente pero a él le gusta así. Busca un cigarrillo en su chaqueta y empieza a fumar.

Hace calor. En Córdoba siempre hace mucho calor en verano y el café caliente le hace encontrarse peor. Cándido mira los periódicos abiertos sobre la cama y se pone muy nervioso. No sabe quién le ha podido enviar[1] ese paquete con los periódicos dentro. ¿Quién le escribe?, ¿qué quiere de él? No lo sabe. Sólo esos periódicos de Toledo en un pequeño paquete marrón. Sin carta, sin nada.

La música del bar de abajo entra por la ventana. Vivir encima de un bar es muy difícil, a veces hasta imposible. Pero vivir en la blanca y caliente Córdoba, cerca de la Mezquita[2], es muy importante para él.

Él es un arqueólogo[3] muy bueno, el mejor. Pero no trabaja en una excavación[4] desde hace muchos años. Muchos. Desde aquel día que...

Ahora está cansado, solo, casi sin dinero. Todo es demasiado difícil desde aquel día negro.

TOLEDO

DECANO DE LA PRENSA LOCAL

Año 1992 - Nº 31508   Lunes, 21 de mayo

UNA NUEVA SINAGOGA[5] EN TOLEDO

Es casi seguro: Toledo tiene una nueva sinagoga.

Todos sabemos que las obras[6] para hacer un nuevo hospital han empezado en el viejo palacio[7] de Úbeda.

Los obreros han encontrado debajo de la cocina una pequeña habitación escondida[8]. Los arqueólogos ya están trabajando allí. No están seguros todavía, pero piensan que esta habitación puede ser una sinagoga. Toda la ciudad espera su respuesta.

El Manchego

Miércoles, 26 de agosto de 1992

La "sinagoga azul" de Toledo

Desde hace tres meses, Toledo tiene una nueva sinagoga: la "sinagoga azul". Así la llama la gente por el color de sus paredes, un raro color azul, casi verde, con unos dibujos blancos.

Seis arqueólogos trabajan en ella. Las obras van muy rápido y pueden estar terminadas en Navidad.

El trabajo de estos arqueólogos es difícil, pero muy interesante. Dicen que no hay en Toledo otra sinagoga tan bonita y rara como ésta.

Es muy diferente a todas: más pequeña, larga y estrecha, pero también mucho más rica en colores. En sus paredes hay dibujos de pájaros blancos sobre los grandes árboles de un bosque azul. Su suelo es de tierra de piedra gris. Una escalera de piedra lleva a ella desde la cocina del Palacio de Úbeda.

Hoy, Marisa Martín, una joven arqueóloga, ha encontrado cerca de uno de los bancos de piedra un pequeño tesoro[9]: tres copas y una llave de hace ochocientos años.

La llave, sobre todo, es muy interesante. Es muy grande. Tiene unos dibujos y unas pequeñas inscripciones[10]. "Las inscripciones están en árabe[11] y en hebreo[12] –nos dice Marisa Martín–, pero muchas palabras son difíciles de leer." Hasta ahora, nadie ha podido entenderlas.

"Esta llave va a abrirnos la puerta de la verdad –dice la arqueóloga–. Tenemos que leerla."

La fea música del bar llega a todas las habitaciones de la casa. Por la ventana Cándido mira, sin ver, el pequeño jardín de su calle. Un hombre espera debajo de un árbol. Llega una mujer joven, morena y muy bonita. Hablan un poco y después se van cogidos de la mano.

Es día de fiesta y la gente sale a pasear o va al cine.

Cerca del parque, coches y motos pasan rápidos hacia el centro de la ciudad. Hacen mucho ruido pero Cándido parece no oír nada. Sólo fuma su cigarrillo y habla para sí. ¿Qué quiere decir ese paquete con los periódicos dentro? ¿Quién los envía? ¿Para qué?

Los periódicos esperan encima de la cama. Conocen la verdad pero no pueden decirla. Sólo se ríen de él.

Cándido tiene hambre y sed pero está demasiado cansado para salir, buscar un restaurante... No, en este momento no quiere estar fuera de casa.

Va a la cocina y bebe rápido un vaso de agua. Después vuelve a su habitación. Se sienta encima de la cama y empieza a leer los periódicos otra vez.

... en el viejo palacio de Úbeda... los obreros han encontrado... una sinagoga... no hay otra en Toledo tan bonita y rara como ésta... Marisa Martín, una joven arqueóloga, ha encontrado... un pequeño tesoro: tres copas y una llave... La llave... tiene unos dibujos y unas inscripciones... en árabe y hebreo... nadie ha podido entenderlas... Esta llave debe abrirnos la puerta de la verdad...

Cándido está nervioso. muy nervioso. Tiene calor pero sus manos están frías. Para un arqueólogo no hay nada tan importante como un descubrimiento[13] así. ¡Una nueva sinagoga en Toledo! Además. la llave... Las raras inscripciones de esa llave... Nadie ha podido leerlas y él. Cándido Aguirre. está seguro de poder hacerlo. Sí. claro que sí. Hace mucho tiempo que no trabaja. Pero él es el mejor arqueólogo del país y puede descubrir la verdad de la sinagoga. Él lo sabe y también otras personas lo saben.

Sí. eso es. Ahora Cándido empieza a entender. Alguien le ha enviado ese paquete para hacerle ir a Toledo. Es alguien que debe de conocerlo muy bien: sabe que después de leer los periódicos. Cándido no va a poder olvidar la sinagoga.

Sí. sólo él. Cándido. puede leer las inscripciones de la llave. Y por eso alguien lo está llamando.

Son las nueve y el sol se pierde detrás de los campos amarillos. En septiembre. los días empiezan a ser más cortos. Muy pronto. el otoño va a volver.

«No puedo hacer otra cosa. Debo ir a Toledo –se dice Cándido–. Puede ser peligroso volver allí. una trampa[14] quizás. pero debo ir. Leer esa inscripción y saber quién me ha enviado los periódicos... Eso es. Voy a ir. Y voy a tener más suerte esta vez. Salí de la cárcel[15] hace tres meses y ya es hora de empezar a hacer algo. No quiero más días negros.»

II

TOLEDO

Don Cosme tiene una pequeña tienda en el centro de Toledo, muy cerca de la Plaza Mayor. Allí vende de todo: cigarrillos, gafas de sol, libros, relojes, paraguas y, desde luego, comida. Es un hombre bajo y gordo, muy divertido. Siempre parece estar contento.

Doña Blanca, una mujer alta y muy delgada, de pelo blanco, conoce a ese buen hombre desde hace más de cincuenta años. Todos los días va allí a comprar el pan y otras cosas para comer.

A ella le gusta llegar muy pronto a la tienda por la mañana y hablar sin prisa con don Cosme. Los dos son abuelos y siempre se cuentan pequeñas historias, cosas de la familia. Son muy buenos amigos.

Este viernes doña Blanca llega un poco más tarde. Muchas personas esperan para comprar. Don Cosme va y viene muy rápido por toda la tienda. Una mujer compra un poco de pescado y unas naranjas. Otra sólo quiere el periódico del día y unos cigarrillos...

Por fin, después de esperar un buen cuarto de hora, doña Blanca puede hablar con don Cosme.

–Buenos días, don Cosme. ¿Qué tal está esta mañana?

–Hola, doña Blanca. Bien... estoy muy bien. ¿Qué quiere hoy?

–Sólo quiero algo para la comida. ¿Sabe usted una cosa? Antonio, el hijo de Carlos, mi hijo pequeño, viene hoy a casa.

–Ya decía yo que estaba usted muy contenta esta mañana. ¿Y cuánto tiempo va a estar aquí, todo el mes?

–¡No, todo el mes no puede! El lunes debe volver al trabajo. Está en una oficina, ¿sabe?, pero no le gusta mucho. A él le gusta escribir. Y lo hace muy bien.

–Sí, ese niño siempre ha sido muy listo.

–Bueno, ya tiene veintidós años...

–¿Veintidós? ¡Qué viejos somos! Bueno, y dígame, ¿qué comida le va a hacer hoy a Antonio?

–Le gusta mucho mi pollo a la naranja. Así que me va a dar usted un pollo grande, kilo y medio de naranjas y tres kilos de patatas. También queso y el pan.

–Bueno, mujer, dígale a Antonio que quiero verlo. Hace mucho tiempo que no viene por aquí. Ese chico se parece mucho a usted, ¿verdad? Desde siempre...

–La verdad es que sí. Bueno, don Cosme, me voy. Adiós, hasta mañana.

–Adiós. Hasta pronto.

Doña Blanca sale de la tienda. Llega a la Plaza Mayor y se pierde por las estrechas calles de Toledo. Las casas están muy cerca unas de otras y parecen cerrar las calles por arriba. Allí, los pájaros buscan comida y esperan el otoño para dejar Toledo e ir hacia países más calientes. Hacia otras tierras de inviernos menos fríos y difíciles.

Son las doce de la mañana y el sol está muy alto. Los niños juegan en los parques y jardines de la ciudad.

* * *

Una hora más tarde, el tren de Madrid entra en Toledo. Antonio mira por la ventana y ve pasar, ya muy lentos, los anchos campos amarillos. Se prepara para salir. Cierra su libro y se pone de pie. Con el bolso de viaje en una mano y el libro en la otra, espera. Por fin el tren se para en la estación.

Hay mucha gente en la estación. Todos tienen prisa pero Antonio no. Sabe que nadie ha venido a esperarlo.

Se sienta en un banco. Le gusta mirar a las personas e imaginar[10] cómo son. ¿Qué hacen?, ¿cómo se llaman?, ¿cómo pasan el tiempo?...

Antonio ve pasar a un hombre bajo y moreno. No es feo pero tiene un ojo medio cerrado. Lleva un pantalón gris, una camisa azul claro y un sombrero también de ese color. Fuma un cigarrillo y parece buscar nervioso a alguien entre la gente. Antonio empieza a imaginar quién es. Le parece un hombre de ciudad, cansado y gris. Un hombre solo. Seguro que no está casado. Debe de trabajar en un banco, siempre entre números.

Pronto, Antonio se olvida del hombre y empieza a mirar divertido a dos jóvenes muy bonitas. Una de ellas es alta y tiene un pelo rubio muy largo. Lleva un vestido amarillo. La otra chica es morena pero también muy alta. Pasan delante de él. Lo miran y sonríen. Después, se pierden entre la gente.

Antonio mira su reloj. Es la una y cuarto. Hora de irse. La estación de Toledo está muy lejos del centro de la ciudad. Para ir a casa de su abuela, debe tomar un autobús hasta la Plaza de Zocodover.

En el autobús, Antonio no se sienta. Prefiere quedarse de pie y así ver mejor las casas y gentes de Toledo. Siempre le ha parecido una ciudad diferente, mucho más que un sitio bonito.

El autobús sube por estrechas calles y llega a Zocodover. En esa plaza ancha se encuentran los amigos los días de fiesta. Con el buen tiempo, los bares ponen mesas y sillas fuera, en la calle. A Antonio le gusta mucho sentarse allí. Tomar un vaso de vino y ver pasear a la gente... Pero ahora no puede hacerlo, su abuela lo espera.

Antonio anda rápido por la calle del Comercio. Muchas mujeres están en las ventanas, mirando hacia abajo. Antonio está muy contento. Le gusta mucho venir a Toledo.

El autobús llega a Zocodover. A Antonio le gusta mucho sentarse allí. Tomar un vaso de vino y ver pasar a la gente... Pero ahora no puede hacerlo, su abuela lo espera.

Llega a la Plaza del Ayuntamiento[17]. En una esquina está la catedral[18] y enfrente, un poco más abajo, el Ayuntamiento. Baja por la Plaza de Santa Isabel. Muy cerca de allí, a cincuenta metros más o menos, vive doña Blanca, en una vieja casa. Antonio corre hacia allí y llama a la puerta. Lleva demasiado tiempo sin ver a su abuela.

* * *

Doña Blanca abre. Por fin ha llegado su querido Antonio, muy alto y delgado. Sí, como ella. Está tan guapo como siempre. Y tan simpático.

Es verdad. A Antonio le gusta mucho hablar. Quiere mucho a su abuela, la madre de su padre, y pasa bastante tiempo con ella en Toledo.

Esta tarde Antonio tiene mucha hambre y a las dos ya están comiendo.

–Abuela, ¡qué rico está el pollo!

–¿Te gusta, hijo? Qué bien. Y, ahora dime, ¿qué tal están tus hermanos?

–Muy bien, abuela. Carlos está trabajando en el hospital de siempre. Es muy buen médico. Y María está buscando trabajo. Ha dejado el otro. No le gustaba. Ya sabes, no es la primera vez: encuentra algo y después de unos meses se cansa y se va. Claro que esto también me ocurre a mí.

–Pero, ¿qué quieres decir? ¿No estás contento con tu trabajo?

–No, la verdad, no me gusta demasiado. Estoy todo el día en la oficina y no puedo escribir. No tengo tiempo.

–Sí, y escribir debe de ser muy interesante, ¿verdad? Cuéntame, chico, ¿qué escribes?

–Pues... historias de viajes, de misterio...; escribo sobre el mar, sobre... A veces también envío cosas a un periódico. Un poco de todo, abuela.

–¡Qué listo, hijo!

–No, abuela, listo no. Pero con eso me divierto. Ahora, por ejemplo, estoy buscando una historia. Es como un juego. ¿Tú crees que puedo encontrar algo interesante en Toledo? ¿Por qué no me ayudas? Seguro que sabes alguna historia divertida de por aquí. También puedo escribir cosas de ti, ¿quieres?

–¡Escribir sobre mí! ¿Estás tonto o qué? Vamos, vamos. ¡Qué dices! Hay cosas mucho más interesantes que yo en esta ciudad, digo yo; la sinagoga, sin ir más lejos. Claro que tú buscas una historia divertida y eso...

–¿La sinagoga? ¿Qué sinagoga?

–La sinagoga azul. ¿No lo sabes? Los obreros del Ayuntamiento la han descubierto hace poco. Ahora la están estudiando unos arqueólogos.

–¡Qué interesante! ¿Y dónde está?

–Está en el Palacio de Úbeda, cerca del Taller del Moro. Y ¿sabes una cosa?: dentro han encontrado una llave muy grande, con unas inscripciones en árabe y en hebreo. Tú sabes árabe, ¿verdad?

–Sí, pero sólo un poco. Y dime, abuela, ¿los arqueólogos han podido leer ya las inscripciones?

–No. Uno ha dicho que son muy difíciles. Y hasta ahora, sólo han podido leer las primeras palabras.

–Sigue, por favor, abuela. ¿Qué más?

–Nada seguro. Mira, aquí todos hablan mucho. La gente dice que los señores de Úbeda debían de ser judíos[19]. Pero, yo no lo creo. También he oído en la tienda de don Cosme que la llave es de un tesoro. Una amiga mía dice que eso dijo también un arqueólogo el otro día. Pero... espera. Para saber más, puedes leer los periódicos de estos últimos dos meses. Están en tu habitación, encima de la mesa. Anda, vete a verlos.

–Gracias, abuela. Eres la mejor. Creo que ahí tengo una historia para un buen libro.

En su habitación, sentado cerca de la ventana, Antonio está leyendo. Un periódico, después otro. Los lee todos. Han despertado su imaginación.

Claro que va a escribir algo sobre este misterio. Pero debe saber más, saberlo todo. Y ver la sinagoga. Sí, eso es... Pero va a estar cerrada hasta Navidad. Sólo pueden entrar los arqueólogos.

No puede ser. Antonio no sabe cómo pero va a entrar en esa sinagoga. ¿Cómo quedarse sin verla? ¿Cómo quedarse sin su historia? Es imposible. Su nuevo libro lo está esperando.

III

EN LA SINAGOGA

CÁNDIDO sale del hotel. La noche es más negra que nunca. Nadie pasa por las calles tranquilas de Toledo. En el reloj de la plaza son las cuatro. Pero Cándido no podía dormir.

No puede olvidar las últimas semanas: el paquete con los periódicos... la llave... el calor de Córdoba... las inscripciones... la música del bar... El misterio de la sinagoga azul. Hasta que, por fin, llegó a Toledo para contestar a sus preguntas.

No va a ser fácil. Él lo sabe. Para empezar, nadie lo llamó. Pero están los periódicos. Alguien los envió. Entonces alguien lo espera. Pero ¿quién? ¿Y dónde? ¿En la sinagoga, quizás?

Cándido anda muy rápido. El ruido de sus zapatos sobre las piedras de la calle rompe la noche.

Ya está cerca de la sinagoga. Por fin va a saber quién lo espera allí. Y va a entrar, entrar para leer las inscripciones de la llave. Él sí va a poder hacerlo.

Un pájaro de la noche llega hasta una ventana. Cándido oye el ruido y mira hacia arriba. Por un momento se para. Pero debe seguir su camino. Pasa una plaza y entra en una calle pequeña. Detrás de la última esquina está la sinagoga. Cándido está muy nervioso pero no puede volverse atrás.

Corre hasta llegar a la otra calle. Ya está. Delante de él, el Palacio de Úbeda. Allí no hay nadie más que él.

Cándido no puede pensar. ¿Qué ocurre? Esperaba encontrar a alguien allí, a la persona de los periódicos. Por un momento no sabe qué hacer: ¿volver al hotel?, ¿tomar otro tren hasta Córdoba?

No, claro que no. Cándido no sabe si alguien quiere algo de él, pero ahí está la sinagoga azul. Y detrás de su puerta está el misterio importante de verdad, el misterio de las inscripciones. Esa llave de hace ochocientos años puede hacerle olvidar los años de cárcel, los días negros, la mala suerte. Y va a entrar.

Cándido saca de su chaqueta una pequeña llave, especial. Con ella puede abrir todas las puertas, también ésta. Cándido mete la llave y le da varias vueltas. Oye un pequeño ruido y se sonríe. Sabe que la puerta se está abriendo.

Dentro no hay luz[20]. Apenas ve delante de él unas pequeñas escaleras. Busca en su bolso, ha traído una linterna[21]. Con ella en la mano, baja con ciudado y llega a una habitación. Es muy grande pero sólo tiene una mesa y unas sillas en el centro. Hay una puerta abierta.

¿Adónde lleva. a la cocina? Quizás. Allí quiere llegar Cándido. Sabe que la sinagoga está debajo de la cocina del palacio. Pero no. Aquello no es la cocina. Es otra habitación un poco más pequeña y estrecha que la primera. En ella hay una escalera para subir al piso alto y otra puerta. Cándido entra por ella y llega a otra habitación. Ya está cerca. está seguro. Encima de una mesa grande ve muchos libros. algunas piedras. y otras cosas de la sinagoga. Los arqueólogos deben de usar este sitio para sus trabajos en la excavación. Claro. allí están las tres copas de oro[22] y la llave.

¡La llave! ¡Delante de él! Ya casi puede cogerla. tenerla en su mano...

Cándido ha esperado este momento desde hace semanas. Lo ha imaginado miles de veces.

* * *

Bajo la blanca luz de su linterna. las inscripciones de la llave parecen moverse. No. no se mueven. Son todavía palabras muertas. Pero él va a hacerlas vivir. Por fin. va a conocer la verdad de la sinagoga. una verdad escondida desde hace años y años.

Cándido empieza a leer muy bajo: *Como mi sinagoga abre la puerta de la verdad. esta llave abre el tesoro de Samuel-Ha-Leví...*

Las primeras palabras están en árabe y es fácil entenderlas. Pero después... Cándido no puede seguir. Debe de ser hebreo o quizás un árabe más antiguo[23], no lo sabe.

¡*El tesoro de Samuel-Ha-Leví*! ¡*El tesoro de Samuel-Ha-Leví*! –se dice Cándido una y otra vez. Así que es verdad, en un lugar de Toledo hay un tesoro pero ¿dónde?

Aquí Cándido no puede pensar. Debe llevarse la llave al hotel y allí trabajar con sus libros. Pero ahora no. Antes de irse quiere ver la sinagoga.

Deja la llave encima de la mesa y sale de la habitación. ¡Ésa es la cocina del palacio! Una pared y también el suelo están rotos. Allí debajo, al final de esa escalera de piedra... ¡Por fin, la sinagoga azul! ¡Tan bonita como la imaginaba! ¡Mucho más bonita!

Cándido lo mira todo sin poder moverse: los bancos de piedra, el suelo de tierra roja, las paredes azules...

Sólo después de unos minutos entra, nervioso. Va hacia una de estas paredes y pasa sus manos por ella. Está muy fría. Su color es raro, un azul diferente, casi verde. En algunos sitios tiene dibujos de pájaros blancos.

Cándido casi no lo puede creer. Lleva seis años sin estar en una excavación. Esa sinagoga va a darle suerte. Está seguro. Va a trabajar en la inscripción de la llave hasta encontrar el tesoro de Samuel-Ha-Leví.

Para ello debe llevarse la llave. Sabe que no debe pero no puede hacer otra cosa. Nadie le va a dejar trabajar en

Allí debajo, al final de esa escalera de piedra... ¡Por fin, la sinagoga azul! ¡Tan bonita como la imaginaba! ¡Mucho más bonita! Cándido casi no lo puede creer.

la sinagoga. Todos saben quién es y dónde ha estado los últimos años. Robar[24] otra vez. Él no quería, pero lo va a hacer para llegar al tesoro.

* * *

Otra vez la escalera de piedra, la cocina. Cándido vuelve a la habitación de los arqueólogos. Encima de la mesa están los libros, las piedras, las copas, pero...

¡La llave! ¡La llave no está! ¡Alguien la ha robado!

Cándido mira en el suelo. No está. Entonces oye un ruido y ve a alguien correr hacia afuera, un hombre alto y delgado. Cándido lo sigue hasta la calle.

Ahora entiende qué ha pasado. No ha cerrado la puerta del palacio después de entrar en él.

El hombre corre rápido por la noche de Toledo. Cándido va detrás. Ve cómo va hacia la derecha y sube por una calle estrecha. Por fin se para delante de una casa vieja y Cándido se queda en una esquina, escondido en la noche, con la cabeza llena de preguntas.

* * *

Antes de entrar en la casa de su abuela Antonio espera unos minutos. Mira por todos los lados: nadie. Se sonríe, por fin ha dejado atrás al hombre de la sinagoga.

Ya está en casa y tiene la llave. Debe estar tranquilo. Mira otra vez a la calle. No, nada. Nadie lo sigue.

Pero, ¿quién puede ser ese hombre? ¿Cómo imaginar que la puerta de la sinagoga podía estar abierta?

Antonio entra en el portal y sube lento las escaleras. Piensa en todas esas preguntas imposibles de contestar. Ya en su habitación, se sienta en la cama y mira su reloj. Son las cinco. Todo ha ocurrido muy rápido. Él quería ver la sinagoga para escribir su historia. Pero no la vio. Sólo ha robado una llave en una excavación. Él, robar. Y además, lo ha seguido un hombre. ¡Es demasiado! Está muy nervioso. Antes escribía libros, ahora los vive.

*   *   *

Desde la esquina de la calle, Cándido ha visto a Antonio entrar en una casa. Ya sabe dónde encontrarlo, pero esa noche prefiere dejarlo tranquilo. Quiere hacerle creer que está seguro. Además, no sabe si alguien más vive allí.

Debe prepararse, pensar en cómo hacer, qué decir. No entiende qué ha pasado. Él pensaba encontrar a alguien en la sinagoga, es verdad. Pero creía que ese alguien lo esperaba a él. No que esa persona iba a robarle la llave.

Una cosa es segura: mañana va a volver. Mañana va a saber quién le envió los periódicos. Y también, dónde está el tesoro de Samuel-Ha-Leví.

Ya está, muy cerca, la llave del misterio.

IV

EL TESORO DE LOS DOCE SOLES

Antonio toma un desayuno rápido con su abuela en la cocina. Parece cansado y muy nervioso.

–¿Qué te pasa, chico? ¿Algo va mal?

–No, no, abuela. Estoy pensando en mi libro. No sé muy bien por dónde empezar. Nada más.

–Por fin, ¿no va a ser sobre la sinagoga? Piénsalo, puede ser muy interesante. A tus padres les gustan mucho todas esas historias de misterio.

–Sí, es verdad. A mamá sobre todo. Ir al cine con ella siempre es para ver películas de casas viejas y tesoros. A veces va con mi padre, y otras con sus amigas.

–Hace muy bien. Ahora que es joven debe divertirse. Después una se hace vieja y...

–¡Qué cosas dices, abuela! ¡Tú estás como una chica de veinte años! Los años no pasan por ti.

–Vale, vale... Antonio. Ya está bien de hacer el tonto. Déjalo ya. Toma tu café y ponte a escribir. Yo voy a salir.

Doña Blanca se ríe. Este fin de semana está muy contenta. Le gusta mucho tener a Antonio en su casa. ¡Qué simpático es el chico!

En el cuarto de baño piensa que se va poner guapa. Algo muy bonito para un buen día. No todos los días tiene aquí a Antonio.

Doña Blanca mira por la ventana. El otoño está llegando ya y Toledo se prepara para el frío. Pronto va a llover y el día está gris.

En la calle, un hombre con sombrero parece estar esperando a alguien. Pasea rápido, arriba y abajo. A veces, se para y mira hacia las ventanas del piso. Después, empieza a andar otra vez. Doña Blanca no lo conoce. Se pregunta quién puede ser. ¿Un amigo del portero, quizás? El hombre no es viejo, no es joven. Es muy moreno y bastante bajo pero desde arriba no puede verlo bien.

Por fin empieza a llover. El ruido de la lluvia sobre las piedras de la calle entra en la casa y llega hasta la última habitación. A la abuela le gusta mucho la lluvia del otoño. Es tranquila, lenta, y buena para el campo. La tierra, cansada de tanto sol, bebe esa agua nueva para olvidarse del verano. Sí, también la ciudad quiere lavar sus calles y jardines con la lluvia de septiembre.

Doña Blanca ve cómo el hombre del sombrero corre hasta un portal.

«Bueno, se dice ella, no a todo el mundo le gusta la lluvia tanto como a mí.»

El hombre todavía sigue allí, de pie, pero la abuela está pensando ya en otras cosas, en la comida de ese día, en una buena comida para Antonio. Ahora va a salir a comprar.

–Me voy a la tienda del señor Cosme –le dice a Antonio desde la puerta de la casa–. ¿Quieres algo, hijo?

–No, gracias, abuela. Bueno sí, espera. Tráeme el periódico. Llévate un paraguas. Está lloviendo mucho.

–Ya, ya lo sé. Vengo dentro de una hora más o menos. ¿De acuerdo?

–Vale, de acuerdo. Hasta Luego.

–Adiós, Antonio, escribe mucho.

* * *

El joven oye cerrarse la puerta de la casa desde su habitación y vuelve a su trabajo. Ha empezado a leer las inscripciones de la llave pero son demasiado difíciles para él. Ha estudiado un poco de árabe, pero muy poco. Cree entender algo del tesoro de Samuel-Ha-Leví. También lee un número pero no sabe qué número es.

Antonio coge la llave con su mano derecha. Es muy bonita y muy rara. Mira otra vez las imposibles inscripciones y ve en una esquina de la llave unos pequeños dibujos. Unos parecen soles, pero los otros... No sabe qué pueden ser.

Antonio se encuentra mal. Está enfadado consigo mismo. Estaba prohibido y entró en el palacio. Y además robó. No sabe cómo pudo hacer una cosa así. No, robar la llave no ha estado bien, pero, encima, robar para nada. ¡Es tan tonto!...

Antonio no puede olvidar aquel momento: la puerta abierta, después todas aquellas habitaciones y por fin, la mesa con las copas y la llave. Mirarla, tenerla en la mano y entonces... aquel hombre. Un hombre entró en la habitación y él cerró la mano. Sin pensar en nada. Se está viendo. Cerró la mano con la llave dentro y empezó a correr por todo el palacio. Más tarde, la calle y ese hombre detrás, detrás, detrás...

¿Cómo pueden ocurrirle a él esas cosas? ¿Qué va a hacer con la llave? Llevarla allí otra vez, claro. Los arqueólogos no trabajan los fines de semana. Nadie entra en la sinagoga los sábados y domingos. Esa noche él puede dejar la llave en su sitio... Así, nadie va a saber que en este momento la llave está en su mano. Sí, eso es. Tranquilo, tranquilo. Todo va bien.

Y ahora es mejor dejar un poco todo eso. Antonio quiere ir a buscar a la abuela. Seguro que la encuentra en la tienda de don Cosme. Deja la llave en la mesa, escondida debajo de unos libros. Sale de su habitación y entonces lo ve. Allí. ¡Delante de la puerta, dentro de su casa!

Lleva un sombrero gris y su chaqueta es también del mismo color. Parece salir de la lluvia de ese día de otoño.

–¿Qué hace usted aquí?, ¿cómo ha entrado?

–Vengo a buscar la llave.

–¿Qué llave? ¿De qué me está hablando?

El hombre no contesta. Anda hacia delante y llega muy cerca de Antonio.

–¿Qué hace? –dice éste–. Salga de aquí ahora. Voy a llamar a la policía.

–Hazlo. A la policía le va a gustar conocerte. Entrar en unas excavaciones por la noche y robar no está muy bien. ¿Nunca te ha dicho eso tu abuela? Creo que en Toledo hay una bonita cárcel. ¿Quieres conocerla?

Antonio se ha quedado como de piedra, sin poder hablar, sin poder moverse.

–Está bien, dígame, ¿qué quiere de mí? –pregunta.

Cándido empieza a reírse demasiado tiempo. De repente se para y anda hacia Antonio.

–Ya está bien, hijo. ¿Tú te crees que soy tonto? Sabes muy bien qué busco. Y sabes quién soy.

Antonio no puede pensar. No le sale una palabra.

–Está bien. Tú ya conoces la historia, pero te la voy a contar otra vez. Sabes que hace un mes llegaron a mi casa unos periódicos. ¿Quién me los envió? ¡Contesta!

Antonio escucha. Cándido le habla de unos periódicos, de la sinagoga, de la llave; le dice que todo eso era una llamada para él; que él puede leer las inscripciones, que los dos lo saben muy bien. Y el joven no entiende nada de nada.

–Tú me enviaste los periódicos. ¿Por qué?

–Pero ¿qué me está diciendo? Yo no pude enviarle nada. No he conocido la historia de la sinagoga hasta ayer. Además, vivo en Madrid y no sé quién es usted.

–No te creo. No puede ser.

La verdad es que el chico no parece peligroso. Cándido empieza a no saber qué pensar. Está cansado. Se sienta.

–¿No eres tú el hombre de los periódicos? Pero, entonces, ¿quién me los envió? ¿Quién eres tú?

–Yo no soy, yo no he enviado nada...

–De acuerdo. Tú no enviaste los periódicos, pero ayer por la noche tú estabas en la sinagoga. ¿Y qué hacías allí a las cuatro y media de la noche? Robar la llave, ¿verdad? Sí, robarla. La tienes aquí. No has salido de casa en todo el día, lo sé. O quizás, ¿tu abuela la lleva en el bolso?

–No. La llave está aquí, la tengo yo.

–Muy bien, chico. Venga, dámela ya. Tengo mucha prisa. Me has hecho perder mucho tiempo.

Sin saber muy bien por qué, Antonio se encuentra ahora mucho más seguro de sí mismo.

–No, señor –dice tranquilo.

–Pero, ¿qué dices? Escúchame bien, chico, estoy muy cansado y nervioso. Llevo muchas semanas con esto y quiero dejarlo ya. ¡Dame la llave!, rápido. Puedo matarte, ¿sabes? Dámela ya de una vez. ¡Vamos!

–No, no le doy nada. Puede buscar por toda la casa pero no va a encontrarla. Además, no tiene tiempo. Mi abuela va a volver dentro de unos minutos. Claro que puede matarnos a los dos. Pero, también puede hacer otra cosa...

Cándido mira a Antonio. Su ojo izquierdo parece cerrarse un poco más.

–Está bien, ¿qué quieres? –dice por fin.

–Quiero trabajar con usted en la inscripción. Quiero encontrar el tesoro de Samuel-Ha-Leví. Es una buena historia para mi libro. Yo le doy la llave y los dos trabajamos en ella. ¿Qué le parece?

–¡Anda! ¡El chico escribe! ¡Qué bonito! –se ríe Cándido–. ¿Sabes chico?, para mí es mejor trabajar solo. No me hagas decirlo más veces. ¡Dame esa llave!

Pasan largos minutos. Antonio no se mueve.

–Está bien –dice por fin el arqueólogo–. No quiero matarte. No, no quiero matar a nadie. Otra vez no. De acuerdo. ¡Vamos! Empecemos a trabajar. Pero, espera... aquí no. Vamos a mi hotel. Allí están mis libros. Sin ellos, no podemos hacer mucho. Llama a un taxi. No vamos a ir a pie con esta lluvia.

*   *   *

En la habitación de un pequeño hotel, sentados delante de una mesa llena de libros, Antonio y Cándido están trabajando. Casi no hablan. Llevan horas así. Se han

Antonio y Cándido están trabajando. Casi no hablan. Llevan horas así. Sólo piensan en leer esas inscripciones. En un lugar de Toledo está el tesoro y lo van a encontrar.

olvidado de comer. Sólo piensan en leer esas inscripciones. En un lugar de Toledo está el tesoro y lo van a encontrar.

Cándido abre un libro, luego otros. El hebreo es muy antiguo y difícil pero empieza a entenderlo. Antonio muy cerca de él, fuma un cigarrillo. Él no puede hacer gran cosa, pero Cándido va a llegar a la verdad y quiere estar ahí en ese momento.

Desde hace más de una hora Cándido está con las últimas palabras. Son más difíciles. ¿Imposibles?

–¡Antonio, ya está! ¡Lo tengo!

Cándido mira entonces al joven y le sonríe.

–Por fin –dice–, por fin... Conozco el misterio de la llave, el misterio de la sinagoga azul.

–Lee la inscripción. Léela, por favor.

–De acuerdo. Pero escucha muy bien. Nunca has oído algo así:

Como mi sinagoga abre la puerta de la verdad, esta llave abre el tesoro de Samuel-Ha-Leví.

Dentro de los doce soles de Sefarad, en la esquina de la llave, hay un mar de piedra. El agua no se mueve. En ella está la tierra del jardín de la primavera. Búscalo en el frío de tu suerte y sólo entonces. Antes no.

Cándido mira hacia la ventana. Está muy raro. Parece encontrarse muy lejos. Más allá de esa habitación, más allá de la tierra, del tiempo...

–Bueno –dice Antonio–, es muy bonito. No sé qué quiere decir, pero es muy bonito.

–Sí, es difícil de entender, pero no imposible. Mira...: «Sefarad» es España para los judíos. Así la llaman desde siempre. Aquí han vivido hasta el año 1492, unas veces tranquilos y seguros con nosotros y con los árabes, otras veces no. Toledo era un centro judío muy importante. Por eso hay aquí un gran número de sinagogas. La inscripción habla de los doce soles de Sefarad y aquí, en esta ciudad, está la Casa de los Doce Soles[25]. ¿No la conoces? La llaman así por los doce soles dibujados en sus paredes. Allí está el tesoro de Samuel-Ha-Leví.

–¡El tesoro! Nuestro tesoro... en esa casa... Me parece imposible. No puedes imaginar la historia que voy a escribir con todo esto.

–Primero debemos ir allí, digo yo –sonríe Cándido.

–Sí, y no va a ser fácil encontrar nuestro tesoro. La casa es muy grande, tiene muchas habitaciones. Podemos estar semanas buscando.

–No, no lo creo. La llave también dice en qué habitación está. Piensa en la inscripción. Tanto en la llave como en la habitación del tesoro hay un dibujo del mar en una esquina.

–Ya, ya te entiendo. Entonces la llave es un plano[26].

–Sí, así es.

–Y estos dibujos de la llave son el mar. Ya entiendo...

–Es fácil. En el suelo de esa habitación, debajo del dibujo del mar, está el tesoro. La inscripción lo llama «la tierra del jardín de la primavera». También dice que sólo puede buscar el tesoro alguien con mala suerte. ¿Quizás soy yo esa persona? Vamos a verlo.

Antonio está encantado. ¡Qué lejos está de todo, de su trabajo, de la ciudad gris..., hasta de su abuela! Nunca ha conocido a un hombre tan interesante como Cándido. Aquí, a su lado, está viviendo por fin algo importante.

–Gracias, Cándido –le dice–. Gracias por dejarme vivir estos momentos contigo.

–De nada, Antonio. Creo que estoy cansado de estar solo. Eso es todo.

Los dos hombres se dan la mano. ¿Son ya amigos? Casi no se conocen. Pero los dos quieren saber qué esconde la Casa de los Doce Soles. Y para descubrir el misterio de la llave son ahora como una misma persona.

–Bueno, chico, primero vamos al restaurante. Debemos cenar algo. Esta noche tenemos mucho trabajo.

–Sí, es verdad. Voy a llamar por teléfono a mi abuela para decirle que voy a llegar tarde.

V

LA SUERTE DE CÁNDIDO

La Casa de los Doce Soles está fuera de la ciudad, más allá de la Puerta Nueva de Bisagra. Es muy grande y vieja, y tan bonita como casi todas las casas de Toledo.

Cándido y Antonio llegan a la puerta. Con el plano de la llave esperan encontrar el tesoro de Samuel-Ha-Leví. La tierra del jardín de la primavera está cerca.

Entran en la casa. Van de una habitación a otra. En todas ellas miran si en una esquina hay un dibujo del mar. Nada. Habitaciones y habitaciones y nada.

Después de tres horas, cansados, se sientan en el suelo de una habitación muy pequeña.

–No sé si hay un tesoro en esta casa, pero...

–¡Qué dices!

–Digo que hay un tesoro por aquí, quizás; pero que no hay mar, que no hay dibujo de nada.

–Claro, con el tiempo se puede haber perdido. ¿Qué vamos a hacer entonces?

–No lo sé. La verdad, pensé que esto iba a ser mucho más fácil. El mar de piedra debe estar por aquí. Pero, ¿dónde?, ¿dónde?

Antonio empieza a andar por toda la habitación con su linterna en la mano.

–¡Cándido, mira! ¿Qué es eso? No es posible.

Cándido está cerca del joven. Allí mismo, en el suelo, hay un dibujo muy, muy pequeño. Pero sí, parece un mar, un bonito mar tranquilo.

Nerviosos como nunca, los dos empiezan a excavar en el piso. Sacan mucha tierra y algunas piedras pequeñas hasta que encuentran algo... No es una piedra.

Se paran un momento. Miran al suelo sin hablar. Miran esa cosa sin poder creer que es... Con prisa ahora, pero con cuidado, empiezan otra vez a excavar.

–Aquí está: parece una caja[27]. Sí, y es de oro.

Cándido ya tiene la caja entre sus manos.

–¡Qué fría está! –dice.

–Ábrela, ábrela –le pide Antonio.

Cándido la abre. Dentro de ella... ¡Monedas[28] amarillas! Monedas de oro, monedas antiguas... ¡Tanto tiempo escondidas!

–¡Por fin lo encontramos, chico, lo encontramos!

Los dos hombres se ríen. Sus voces corren por todas las habitaciones de la Casa de los Doce Soles.

–Después de seis años sin trabajar... descubrir el misterio de la sinagoga azul. No puedo creerlo. El misterio de la llave para ti y para mí. Tú tienes la historia para tu libro, y yo empiezo a trabajar, a vivir otra vez.

–No, Cándido, no vas a poder.

Cándido y Antonio miran hacia la puerta. ¿Quién ha hablado? ¿Qué ocurre? ¿Quién está allí?

* * *

Cuatro personas entran en la habitación.

–¿Usted? ¡Es usted! –dice Cándido al hombre que va delante–. ¡Usted me envió los periódicos! Y todo es una trampa.

El arqueólogo, nervioso, se pasa las manos por el pelo. Ahora lo entiende todo. Demasiado tarde.

–Usted me hizo venir a Toledo. Usted quería encontrar el tesoro de Samuel-Ha-Leví pero no sabía cómo. Entonces, pensó que yo podía hacerlo. Y no se equivocó.

–Pero, ¿quiénes, quiénes son? Dímelo, Cándido, por favor. ¿De qué los conoces? –dice Antonio.

–¿De qué los conozco? ¿Quieres saberlo? Escucha entonces: hace seis años, esos hombres me llevaron a la cárcel... Mira, éste es el comisario[20] Villena. Y los otros son tres de sus hombres, ¿verdad?

–Sí señor, así es –contesta uno de ellos–. ¿Nos los llevamos ya, comisario? –pregunta después a Villena.

Un policía coge a Cándido del brazo.

–¡Quíteme las manos de encima! –dice éste–. Quiero hablar con el comisario un momento...

–Déjelo, Pérez –dice Villena–. Y tú, habla, rápido. ¿Qué quieres?

–¿Que qué quiero? –contesta Cándido–. Sólo saber por qué ha hecho esto. Yo no quería problemas. Quería trabajar, trabajar para vivir, nada más. ¿No lo entiende? No, no lo entiende, claro. ¡Qué tonto he sido! Nadie entendía las inscripciones de la llave pero yo sí podía. Usted lo sabía muy bien. Y con esta trampa lo he traído hasta el tesoro. ¿Qué va a ganar con este descubrimiento, señor comisario? Un ascenso[30], ¿verdad? Ha sido muy feo, sí, muy feo. Pero esto no va a quedar así. La gente va a saber cómo es usted.

Florencio Villena no quiere oír más.

–¡Ya está bien, Cándido! ¿Qué estás diciendo? ¿Piensas que alguien va a creerte? Todos saben que has estado seis años en la cárcel. Que robaste aquellas piedras. Tú las habías encontrado, quizás; pero no debías quedarte con ellas. Y nadie ha olvidado que mataste a un policía.

–Fue un accidente, y usted lo sabe tan bien como yo.

–Lo hiciste y él era mi amigo. Por eso vas a ir a la cárcel otra vez. No vas a ser libre nunca. Acuérdate, Florencio Villena siempre detrás de ti para llevarte a la cárcel. Y escúchame bien: yo no he puesto ninguna trampa, no te he enviado periódicos. Yo he venido a Toledo con unos amigos y te he visto por la calle. Te he seguido porque hacías cosas raras. Eso va a creer la gente.

El arqueólogo sabe que es verdad. Él ha perdido otra vez. La mala suerte hasta el final de sus días. Ya lo decía la inscripción: *Búscala en el frío de tu suerte.*

–Vamos –dice un policía–. Nos esperan en Madrid.

–Y tú, ¿qué haces? –dice el comisario a Antonio–. ¿Lo olvidas todo, o vas a la cárcel con ése?

Antonio mira al comisario y después a Cándido. Triste y asustado piensa que ya tiene un final para su libro, para una historia que sólo puede escribir en la cárcel. Piensa que no puede escribir *El misterio de la llave* y ser libre... ¿Tan alto debe ser el precio de una buena novela?

* * *

Madrid. Florencio Villena entra por fin en su casa.

Encima de la mesa del comisario hay muchas cosas: cartas, un paquete de cigarrillos y periódicos de Toledo. Uno, del lunes 21 de mayo, otro, del miércoles 26 de agosto: dos periódicos como los que envió a Cándido. Y el último, con su foto en la primera página y este título: «EL COMISARIO FLORENCIO VILLENA DESCUBRE EL TESORO DE LA SINAGOGA AZUL».

«Ahora mismo me voy a la cama. Debo dormir –piensa Villena–. Mañana va a ser un día difícil. Nueva comisaría... nuevo trabajo... nueva gente... La suerte me sonríe.»

SOBRE LA LECTURA

Para comprobar la comprensión

I

1. *Alguien ha enviado un paquete a Cándido. ¿Qué tiene dentro?*

   ☐ *Unos periódicos de Madrid y una carta.*

   ☐ *Muchas cartas.*

   ☐ *Los periódicos de Toledo.*

2. *¿Qué es Cándido?*

   ☐ *Arqueólogo.*

   ☐ *Obrero.*

   ☐ *Camarero.*

3. *¿Qué encuentran los obreros del Ayuntamiento de Toledo, el lunes 21 de mayo?*

   ☐ *Un palacio.*

   ☐ *Un hospital.*

   ☐ *Una sinagoga.*

4. *¿Qué hay en la llave encontrada por Marisa Martín?*

   ☐ *Dibujos e inscripciones en árabe.*

   ☐ *Dibujos e inscripciones en árabe y hebreo.*

   ☐ *Dibujos e inscripciones en hebreo.*

5. *¿Quién envia el paquete a Cándido?*

   ☐ *Un amigo.*

   ☐ *No lo sabe.*

   ☐ *Su hermano.*

6. *¿Qué piensa hacer Cándido?*

   ☐ *Ir a Madrid para saber quién le ha enviado el paquete.*

   ☐ *Ir a Toledo para pasear por la ciudad y ver a un amigo.*

   ☐ *Ir a Toledo para leer las inscripciones de la llave y saber quién le ha enviado los periódicos.*

7. *¿Dónde estaba Cándido hace tres meses?*

   ☐ *En unas excavaciones.*

   ☐ *De viaje.*

   ☐ *En la cárcel.*

II

8. *¿Qué le gusta a Antonio, el nieto de doña Blanca?*

   ☐ *Trabajar en una tienda.*

   ☐ *Trabajar en una oficina.*

   ☐ *Escribir.*

41

9. *Después de leer los periódicos que hablan de la nueva sinagoga, ¿qué quiere hacer Antonio?*

  ☐ *Nada especial.*

  ☐ *Entrar en la sinagoga.*

  ☐ *Hacer preguntas a los arqueólogos.*

III

10. *¿A quién piensa encontrar Cándido en la sinagoga?*

  ☐ *A nadie.*

  ☐ *A Antonio.*

  ☐ *A la persona que le envió los periódicos.*

11. *Cándido encuentra la llave en la sinagoga. ¿Entiende las inscripciones?*

  ☐ *Sólo entiende las primeras palabras.*

  ☐ *No entiende nada.*

  ☐ *Lo entiende todo.*

12. *¿Qué ve Cándido cuando vuelve a la habitación de los arqueólogos?*

  ☐ *No ve nada extraño.*

  ☐ *Ve que un policía lo está esperando.*

  ☐ *Ve que alguien ha robado la llave.*

13. *¿Qué hace Cándido entonces?*

   ☐ *Sigue á Antonio por las calles de Toledo pero no habla con él.*

   ☐ *Se queda en la sinagoga.*

   ☐ *Encuentra a Antonio y habla con él.*

IV

14. *¿Por qué Antonio está enfadado consigo mismo?*

   ☐ *Porque ha robado y además, para nada.*

   ☐ *Porque tiene miedo de Cándido.*

   ☐ *Porque no encuentra una historia para su libro.*

15. *Cándido llega a casa de Antonio y le pide la llave. ¿Qué ocurre entonces?*

   ☐ *Antonio da la llave a Cándido sin decir nada.*

   ☐ *Antonio llama a la policía.*

   ☐ *Cándido y Antonio deciden trabajar juntos.*

16. *Las inscripciones de la llave hablan de un tesoro. ¿Dónde se encuentra éste?*

   ☐ *En la sinagoga azul.*

   ☐ *En el Palacio de Úbeda.*

   ☐ *En la Casa de los Doce Soles.*

V

17. *¿Qué tesoro encuentran Cándido y Antonio?*

    ☐ *Sólo encuentran dibujos en el suelo.*
    ☐ *Una caja de oro llena de monedas.*
    ☐ *Una caja llena de piedras y de arena.*

18. *Cándido ha descubierto el misterio de la llave y Antonio tiene una historia para su libro. Pero alguien va a romper este final feliz. ¿Quién?*

    ☐ *Samuel-Ha-Leví.*
    ☐ *Doña Blanca.*
    ☐ *El comisario de policía Florencio Villena.*

19. *Cándido ha estado seis años en la cárcel. ¿Por qué?*

    ☐ *Por robar unas piedras antiguas y matar a un policía por accidente.*
    ☐ *Por robar un tesoro y matar a tres policías.*
    ☐ *Por matar a un amigo en un accidente de coche.*

20. *¿Quién envió los periódicos de Toledo a Cándido?*

    ☐ *No lo podemos saber.*
    ☐ *Antonio.*
    ☐ *El comisario.*

21. ¿Por qué preparó el comisario esta trampa a Cándido?

   ☐ *Para hacerle pagar la muerte de su amigo.*

   ☐ *Porque quería ayudarle a encontrar el tesoro.*

   ☐ *Porque quería matar a Cándido.*

22. ¿Qué va a hacer Antonio al final?

   ☐ *Volver a su casa.*

   ☐ *El texto no lo dice.*

   ☐ *Ir a la cárcel.*

Para hablar en clase

1. ¿Qué cree usted que eligió Antonio al final?

2. Tanto Cándido como Antonio y el comisario de policía han hecho cosas prohibidas por la ley. ¿Usted cree que alguno de ellos puede ser perdonado? ¿Quién y por qué?

3. ¿Puede ocurrir de verdad una historia parecida a ésta?

4. ¿Qué piensa de la arqueología?

5. ¿Conoce usted Toledo? Si contesta que sí, ¿puede explicar cómo es esa ciudad? En el caso contrario, ¿quiere conocerla algún día o prefiere ir antes a otras partes de España?

NOTAS

Estas notas proponen equivalencias o explicaciones que no pretenden agotar el significado de las palabras o expresiones siguientes sino aclararlas en el contexto de *El misterio de la llave*.

m.: masculino. *f.:* femenino. *inf.:* infinitivo.

1 **enviar:** hacer llegar algo a algún sitio o a alguna persona.

2 **mezquita** *f.:* edificio donde los árabes o musulmanes (ver nota 11) se reúnen para realizar sus prácticas religiosas.

3 **arqueólogo** *m.:* hombre que estudia los restos de civilizaciones de tiempos pasados.

mezquita

4 **excavación** *f.:* lugar donde trabajan los arqueólogos buscando restos de monumentos de tiempos pasados. Los arqueólogos **excavan** (*inf.:* **excavar**) la tierra –abren el suelo– para sacar o dejar a la vista estos restos.

5 **sinagoga** *f.:* edificio donde los judíos (ver nota 19) se reúnen para realizar sus prácticas religiosas.

6 **obras** *f.:* trabajos para construir un edificio. Los hombres que trabajan en ellas son los **obreros** *(m.)*.

7 **palacio** *m.:* casa muy grande y rica donde vive un rey. un noble o una persona importante. (El Palacio de Úbeda no existe: es un lugar inventado por la autora.)

8 **escondida** (*inf.:* **esconder**): situada en un lugar secreto, donde es difícil encontrarla.

9 **tesoro** *m.:* conjunto de cosas de mucho valor –dinero, joyas u otros objetos.

10 **inscripciones** *f.:* conjunto de pequeños caracteres –signos, letras– escritos o grabados en un material duro como el metal, la piedra, etc.

11 **árabe** *m.:* aquí, lengua hablada en Arabia y en otros lugares de alrededor del mar Mediterráneo (países musulmanes). También designa a las personas que viven en esos lugares.

cárcel

12 **hebreo** *m.:* aquí, lengua que hablan los judíos (ver nota 19).

13 **descubrimiento** *m.:* acción y resultado de descubrir: encontrar algo que no se veía o sabía, darlo a conocer.

14 **trampa** *f.:* aquí, plan para engañar a una persona, para ponerla en una situación peligrosa.

15 **cárcel** *f.:* edificio donde se encierra a las personas que han hecho algo contra la ley (robar, matar, etc.).

16 **imaginar:** representarse mentalmente un objeto, una persona, una situación que no está presente o que no es real. La capacidad humana para hacerlo se llama **imaginación** *(f.).*

Ayuntamiento

17 **Ayuntamiento** *m.:* grupo de personas que se ocupan de administrar un municipio (pueblo o ciudad) y de dirigirlo; también, edificio en el que se reúnen.

47

18 **catedral** *f.:* la iglesia más importante de una ciudad en tamaño y categoría. La catedral de Toledo es un templo de estilo gótico construido entre los siglos XII y XV.

19 **judíos** *m.:* pueblo que vivió en Judea (Palestina) hasta el siglo IV antes de Cristo; descendientes de ese pueblo.

20 **luz** *f.:* claridad, lo que permite que las cosas se vean.

linterna

21 **linterna** *f.:* objeto que se lleva en la mano y sirve para dar luz.

22 **oro** *m.:* metal amarillo, de gran valor.

23 **antiguo:** de otros tiempos, del pasado.

24 **robar:** quitar a una persona algo que es suyo.

25 **Casa de los Doce Soles** *f.:* Se trata de un edificio imaginario.

26 **plano** *m.:* dibujo que representa las diferentes partes de una habitación, un edificio, una ciudad, etc.

plano

27 **caja** *f.:* objeto (de madera, metal u otro material) que sirve para guardar cosas en su interior.

28 **monedas** *f.:* piezas de metal, planas y en general redondas, a las que se reconoce determinado valor y se utilizan como medio de pago (dinero).

29 **comisario** *m.:* jefe de policía. Trabaja en una **comisaría** *(f.).*

30 **ascenso** *m.:* promoción a un puesto de trabajo mejor, a una categoría superior.